Kilo et Ti-pou
Ohé, matelot!

À Paul — S.H.

À Elbie, qui n'aime pas tellement l'eau — L.H.

Catalogage avant publication de la
Bibliothèque nationale du Canada

Hood, Susan
Ohé, matelot! / Susan Hood; illustrations de Linda Hendry;
texte français d'Hélène Pilotto.

(Kilo et Ti-pou)
Traduction de : Pup and Hound at Sea.
Pour enfants de 4 à 7 ans.
ISBN 0-439-94045-1

I. Hendry, Linda II. Pilotto, Hélène III. Titre.
IV. Series : Hood, Susan. Kilo et Ti-pou. V. Collection.

PZ26.3.H66Ohé 2006   j813'.54   C2005-905327-5

Édition publiée par les Éditions Scholastic, 175 Hillmount Road,
Markham (Ontario) L6C 1Z7, avec la permission de Kids Can Press Ltd.

5 4 3 2 1   Imprimé et relié en Chine   06 07 08 09

Kilo et Ti-pou
Ohé, matelot!

Texte de Susan Hood
Illustrations de Linda Hendry

Texte français d'Hélène Pilotto

Éditions
SCHOLASTIC

Ti-pou a trouvé
quelque chose.
C'est très gros.

Il veut voir ce que c'est.

Il appelle Kilo.

Kilo pousse très fort. Grrr! Han!

Il fait de drôles de sons.

Tout à coup, un beau radeau

sort des buissons!

Ti-pou saute à bord!

Kilo saute à ses côtés.

Voici le pirate Ti-pou

et son fier équipier.

Perché dans son cageot,

Ti-pou dirige le radeau.

Kilo fait de son mieux

pour ne pas tomber à l'eau.

13

Des grenouilles surgissent

de la rive et sautent à bord

du radeau...

...mais le pirate Ti-pou
les repousse du museau.

Tout à coup, ils entendent
des bruits.

Rrrr! Flouche! Glouglou!

Voilà des sons étranges qu'ils
ne connaissent pas du tout.

Le radeau tourne et penche.

Ce virage est dangereux.

Kilo regarde devant

et n'en croit pas ses yeux!

Attention! des rapides!

Le courant est fort, fort, fort!

Le radeau de Kilo et Ti-pou

remue encore et encore!

— Yahou! crie Ti-pou

en bravant les rapides.

Kilo se cramponne au radeau

et tente d'avoir l'air intrépide.

— Tous sur le pont!

ordonne Ti-pou à l'équipage.

Paf! Boum! Plouf!

C'est le naufrage!

Les matelots tout trempés
pataugent jusqu'au rivage.

On dirait bien qu'il y a

des pirates dans les parages.

Kilo a besoin de repos,

mais Ti-pou est plein d'énergie.

Le chiot aboie un coup...

puis il s'enfuit!

Kilo se lève

et part à sa poursuite.

— Ouaf! jappe Ti-pou.

L'endroit est marqué d'un X!

Pas de doute :

un trésor est caché là-dessous.

Mmm! Quel régal

pour Kilo et Ti-pou!